Chistel Leca

Illustrations : Pierre-Emmanuel Dequest

Collection dirigée
par Sylvie Baussier

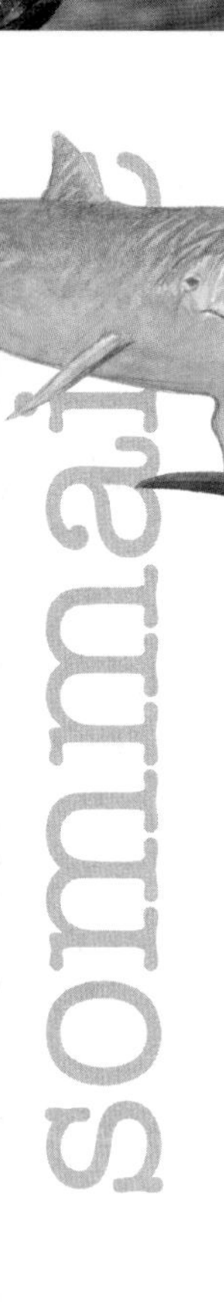

Une vie de dauphin

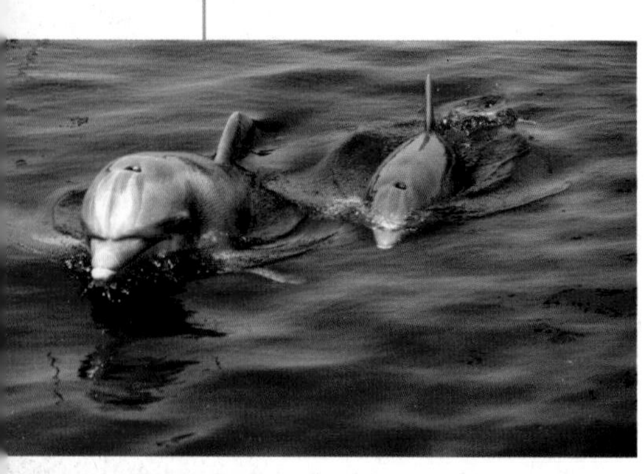

Mieux qu'un poisson dans l'eau

Le dauphin et l'homme

Histoires de dauphins

Cet ouvrage traite du grand dauphin *(Tursiops truncatus).*

une vie

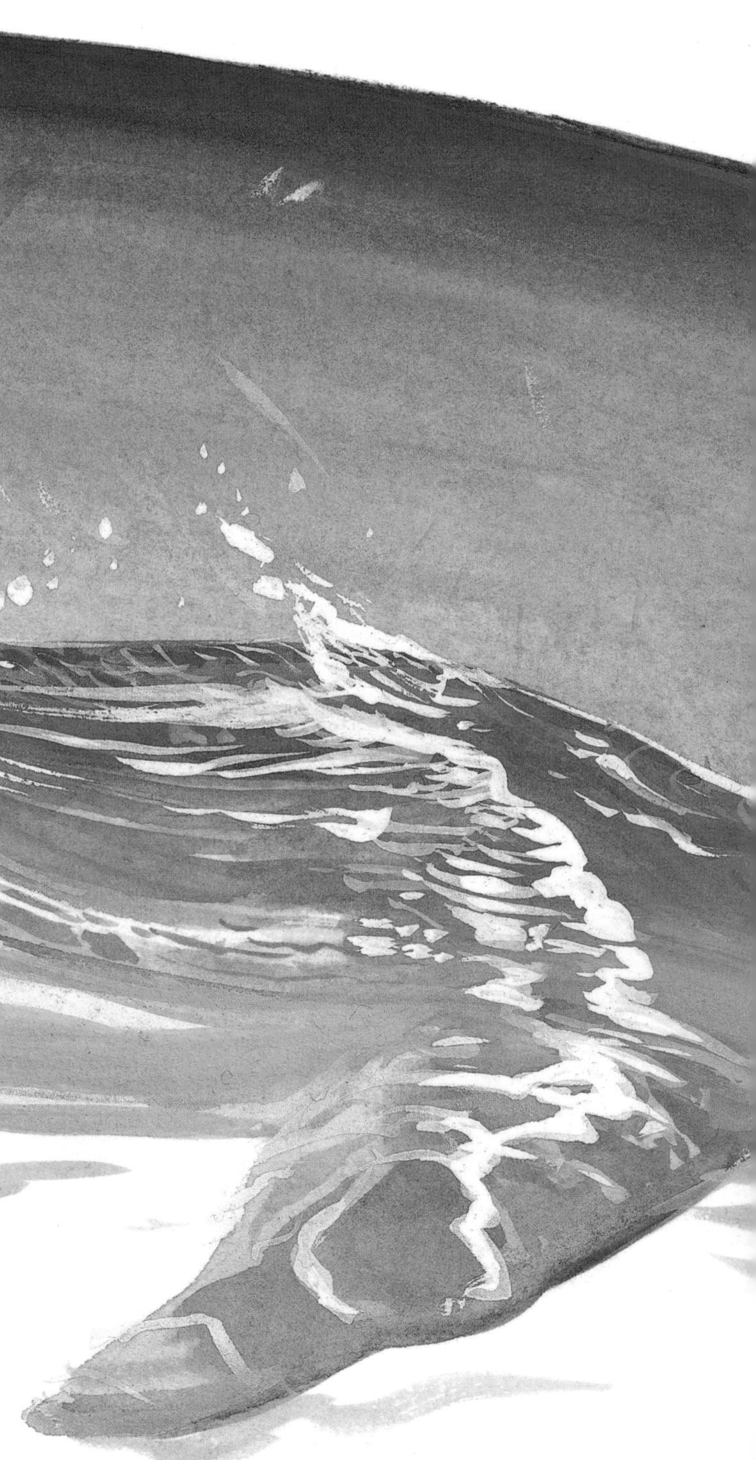

Le grand dauphin est un animal vraiment surprenant. Il vit dans les mers et les océans, mais respire tout de même grâce à des poumons, comme les hommes ! Même dans des eaux froides et bien qu'il n'ait pas de fourrure, sa température corporelle est toujours d'environ 37°C, comme la nôtre ! Comme la plupart des mammifères, la delphine met au monde un petit déjà formé et l'allaite : une opération délicate en mer !

de dauphin

Qui est le dauphin ?

Les ancêtres du dauphin vivaient sur terre et se déplaçaient à quatre pattes...

À l'origine, le Mesonyx

Parmi les ancêtres du dauphin, le Mesonyx. Cet animal, qui vivait il y a environ 50 millions d'années, n'existe plus aujourd'hui. C'était un mammifère à quatre pattes, de la taille d'un gros chien, qui résidait sur la terre ferme, près des océans, et se nourrissait d'animaux semi-aquatiques et de poissons. Progressivement, les Mesonyx passèrent plus de temps dans l'eau, car ils y trouvaient plus facilement leur nourriture. Seuls les individus les mieux adaptés au milieu aquatique ont alors survécu. Ensuite, peu à peu, au fil des naissances, le corps des Mesonyx s'est transformé et de nouvelles espèces, faites pour la vie dans l'eau, sont nées de cette évolution.

Le Mesonyx, un des ancêtres des cétacés.

Le dauphin n'est pas un poisson

Parce qu'il descend du Mesonyx, le dauphin, lui aussi, est un mammifère : il possède des poumons et, comme chez les chiens ou les chats, les femelles donnent naissance à des petits déjà formés, qu'elles allaitent. Les poissons, eux, respirent avec des branchies et pondent des œufs.

grand dauphin

Les cousins du grand dauphin

Les dauphins, comme les baleines, sont des cétacés. Ils vivent continuellement dans l'eau, contrairement aux phoques, par exemple, qui sont aussi des mammifères marins, mais qui passent une partie de leur vie sur la terre ferme. Il existe plusieurs espèces de dauphins, qu'on reconnaît par la taille et les couleurs : par exemple les petits dauphins bleu et blanc, les dauphins tachetés de l'Atlantique ou encore les dauphins communs, bicolores.

dauphin tacheté

dauphin commun

dauphin bleu et blanc

Où vit le dauphin ?

Le grand dauphin est présent dans tous les océans et mers du monde, sauf dans les eaux froides de l'Antarctique et de l'Arctique. Il est ainsi l'une des espèces de dauphins les plus cosmopolites. Il vit près des côtes, parfois dans des estuaires, mais aussi souvent au large. Il est impossible de savoir combien de dauphins il y a dans le monde, car très peu de pays se sont organisés pour les compter. Par précaution, le grand dauphin a été inscrit sur la liste rouge des espèces menacées, établie par l'Union mondiale pour la nature, qui réunit 48 États.

TURSIOPS TRUNCATUS

En latin, cela signifie « dauphin au nez tronqué ». C'est le nom scientifique du grand dauphin, appelé aussi souffleur, dauphin à long bec ou, en anglais, dauphin à nez en forme de bouteille *(bottlenose dolphin)*.

Les dauphins actuels n'ont plus grand-chose à voir avec leurs ancêtres. Ils se sont adaptés à l'environnement marin.

Des pattes avant transformées en nageoires

Les pattes avant du Mesonyx sont devenues les nageoires pectorales des dauphins. Situées de chaque côté du corps, au niveau des épaules, elles leur servent à se diriger.
À l'intérieur de ces nageoires se trouvent des os, qui correspondent aux phalanges des doigts chez les autres mammifères, les hommes par exemple.

Contrairement aux poissons, les dauphins ont un squelette.

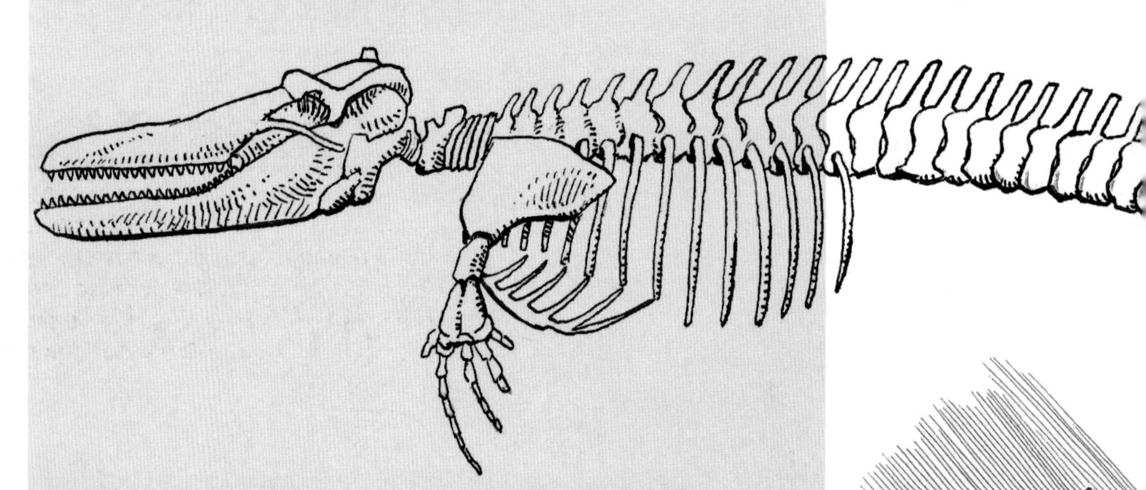

Des pattes arrière disparues

Les phoques et les otaries descendent eux aussi d'un mammifère terrestre. Chez ces animaux, les pattes arrière de leur ancêtre se sont réunies et ont donné naissance à une queue comportant un squelette. Ce n'est pas le cas chez le dauphin. Sa queue, également appelée nageoire caudale, est dépourvue d'os. Elle est horizontale, contrairement à celle des poissons, qui est verticale.
Elle est faite de fibres musculaires si étroitement serrées les unes contre les autres que cela la rend rigide.
En la bougeant de haut en bas, le dauphin peut se déplacer dans l'eau très rapidement.

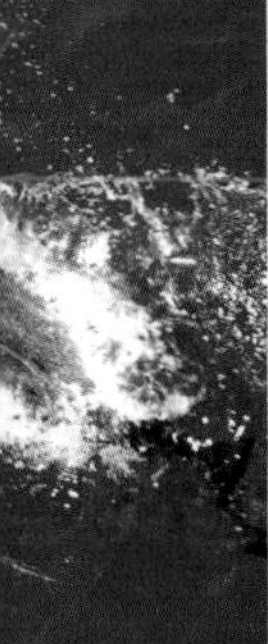

Des narines à l'évent

Quand les ancêtres des dauphins ont commencé à vivre en milieu aquatique, leurs narines se trouvaient toujours au bout de leur museau. Ils devaient donc lever la tête régulièrement pour respirer, ce qui ralentissait leur progression dans l'eau. Aussi, génération après génération, les narines se sont déplacées : seuls ont survécu les animaux dont les narines étaient placées plus haut sur la tête. Aujourd'hui, les dauphins n'en ont plus qu'une, placée sur le haut du crâne. Cela s'appelle un « évent ».
Dès que cet évent frôle la surface de l'eau, le dauphin reprend automatiquement sa respiration.

L'évent est comme une narine. Il sert au dauphin à reprendre son souffle dès qu'il touche la surface.

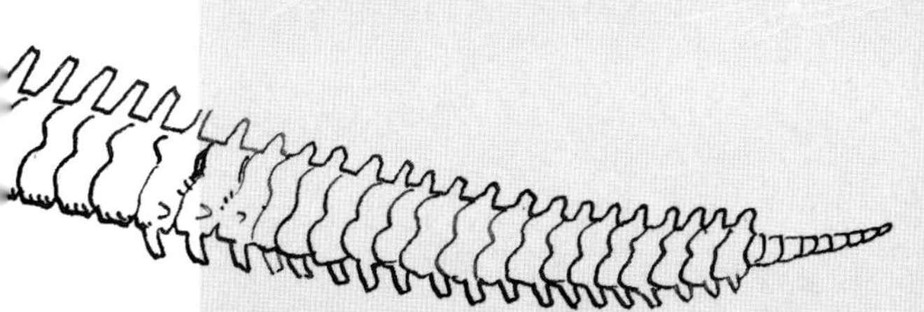

EAU FROIDE OU CHAUDE ?

Les grands dauphins qui vivent dans les eaux froides sont plus gros que les autres : ils ont besoin d'une épaisse couche de graisse pour survivre aux basses températures. Dans une même région, les dauphins côtiers sont plus petits que ceux qui vivent au large, car ces derniers cherchent leur nourriture à des profondeurs plus importantes, là où l'eau est froide.

La couleur de la robe des grands dauphins leur permet de passer inaperçus auprès de leurs ennemis : depuis la surface, elle disparaît dans le bleu-gris de l'océan. Vu des profondeurs, le ventre blanc se confond avec les reflets de la lumière du soleil.

L'union fait la force

Le dauphin n'est pas un animal solitaire. Au contraire, il a pris l'habitude de vivre bien entouré...

Mâle ou femelle ? Difficile à dire... Les organes génitaux des mâles sont situés dans une fente à l'arrière du corps et ne sortent qu'au moment de l'accouplement.

Restons groupés

Comme tous les animaux, les grands dauphins sont poussés par l'instinct de survie. Leur but est de se protéger des dangers et de se nourrir. Or la mer est un milieu dangereux, où il est difficile de se cacher. En groupe, on échappe plus facilement à ses prédateurs, car on est plus nombreux pour les surveiller, et chasser à plusieurs est bien plus efficace... C'est pourquoi les dauphins vivent en bandes très solidaires.

EN SAVOIR +

Juvénile
jeune qui ne tète plus sa mère, mais qui n'est pas encore en âge de se reproduire.

Sédentaire
qui vit dans une même région tout au long de l'année, à la différence du migrateur.

Mâles et femelles chacun de leur côté

Les grands dauphins vivent en clans rassemblant d'une douzaine à une centaine d'individus, selon les régions. Les femelles qui allaitent se regroupent, gardant avec elles les petits de l'année et ceux des années précédentes : les juvéniles. Vers l'âge de 10 ans, les jeunes mâles forment des bandes de célibataires à part. Ils ne s'approchent des femelles que lorsqu'ils ressentent le besoin de s'accoupler, vers l'âge de 20 ans.

Les grands dauphins, très solidaires, peuvent se déplacer en bandes d'une dizaine à une centaine d'individus, selon les régions.

Voyageurs ou pas ?

Les grands dauphins sont plutôt sédentaires, mais ils peuvent faire des centaines de kilomètres si un événement trouble leurs habitudes. En 1983, par exemple, le courant El Niño réchauffa les eaux des côtes sud-américaines, dans le Pacifique. Les poissons, habitués à des températures plus basses, moururent épuisés par la chaleur ou à cause du manque de nourriture (en effet, le plancton ne se développe que dans les eaux froides). Au sud de la Californie, des grands dauphins, jusque-là sédentaires mais ne trouvant plus de poissons à manger, migrèrent. Ils parcoururent plus de 650 km vers le nord, jusqu'aux eaux poissonneuses de la baie de Monterrey. Certains s'y établirent, d'autres retournèrent vers le sud après le passage d'El Niño.

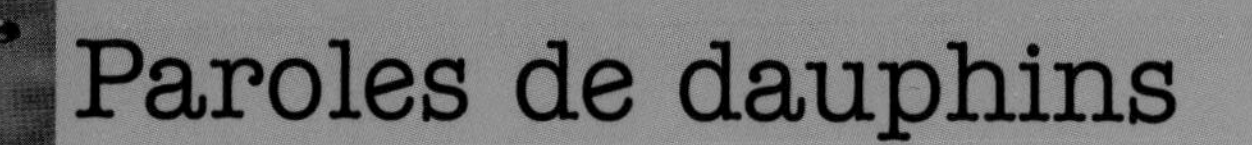

Paroles de dauphins

Les dauphins vivent en clans.
Ils ont donc besoin de communiquer et ont développé un langage corporel et sonore.

Un langage compliqué

Pour sonner l'alerte, organiser des parties de chasse, se rassembler…, les grands dauphins émettent sans cesse une multitude de sons, plus surprenants les uns que les autres : sifflements, gazouillis, cliquetis… Nos oreilles ne sont pas assez sensibles pour pouvoir entendre toutes les subtilités de ces vocalises. Les naturalistes ont donc recours à des machines perfectionnées pour les enregistrer et les décrypter.

DES RONDS DANS L'EAU
En vocalisant, les grands dauphins créent parfois des anneaux dans l'eau, en expulsant l'air de leur évent. Ces cercles remontent très lentement jusqu'à la surface. Les dauphins jouent avec, y glissent le bout de leur museau… On ne sait pas à quoi servent ces ronds : seulement à jouer, ou aussi à communiquer ?

Quel est ton nom ?

Depuis peu, les scientifiques se sont aperçus que les grands dauphins s'appellent et se répondent… par leur nom ! Ainsi, une mère répète plusieurs fois par jour une série de sons bien spéciaux auxquels son petit répond par une autre série de sons tout aussi précis, pendant qu'il la rejoint. C'est une signature sifflée : chaque grand dauphin possède la sienne. Elle est toujours composée du nom du dauphin, du début du nom de sa mère et du nom de son clan : « Je m'appelle X, je suis le fils de Y et j'appartiens au clan Z. »

Dans la langue des signes

Les dauphins communiquent aussi avec leur corps. Par exemple, quand ils se mettent en position verticale, la tête vers le haut, en faisant un tour complet, on dit qu'ils « espionnent ». C'est un moyen d'observer les alentours, mais aussi une attitude de domination.

La position debout : une façon d'espionner en surface, mais aussi une attitude de domination face à ses congénères.

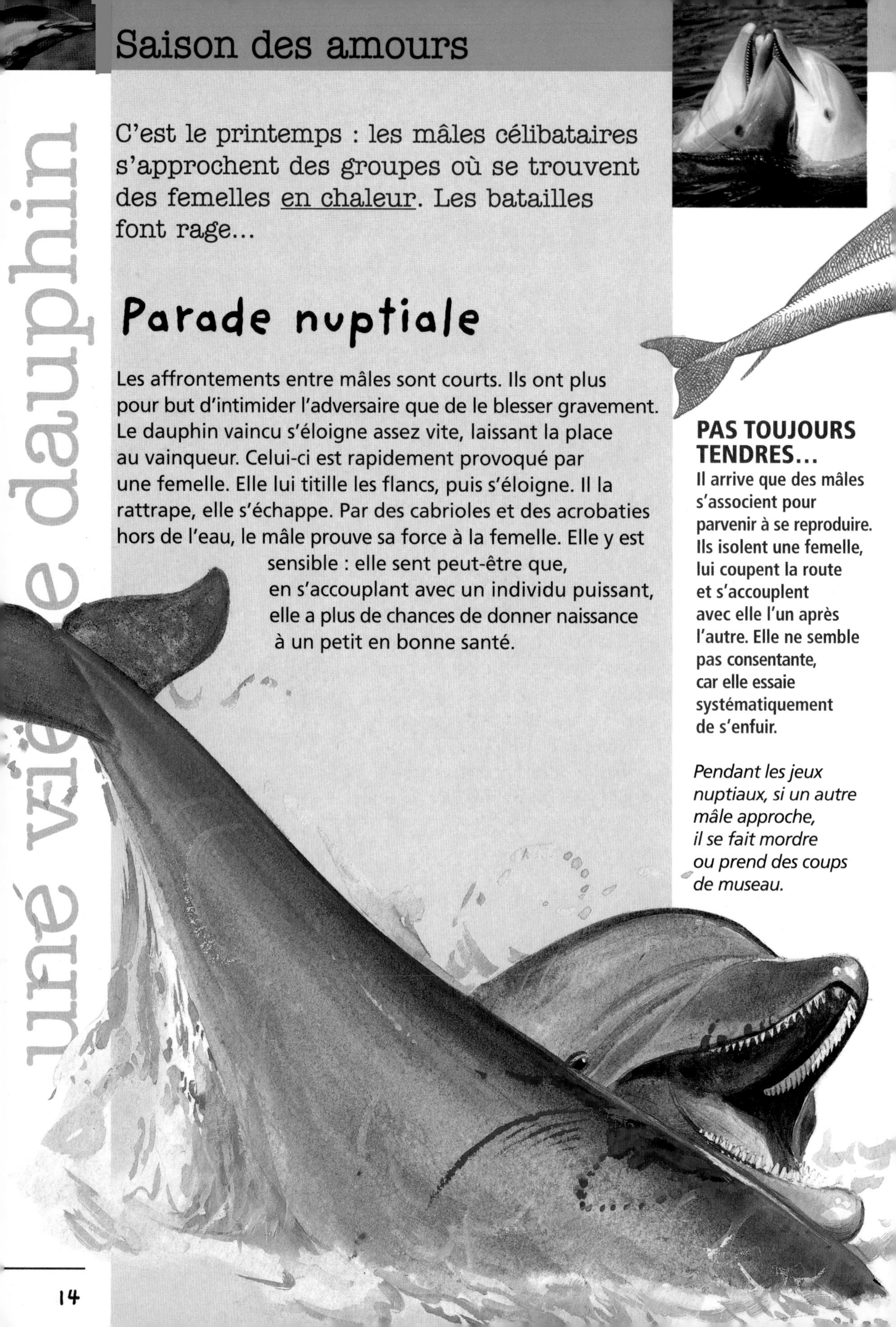

Saison des amours

C'est le printemps : les mâles célibataires s'approchent des groupes où se trouvent des femelles en chaleur. Les batailles font rage...

Parade nuptiale

Les affrontements entre mâles sont courts. Ils ont plus pour but d'intimider l'adversaire que de le blesser gravement. Le dauphin vaincu s'éloigne assez vite, laissant la place au vainqueur. Celui-ci est rapidement provoqué par une femelle. Elle lui titille les flancs, puis s'éloigne. Il la rattrape, elle s'échappe. Par des cabrioles et des acrobaties hors de l'eau, le mâle prouve sa force à la femelle. Elle y est sensible : elle sent peut-être que, en s'accouplant avec un individu puissant, elle a plus de chances de donner naissance à un petit en bonne santé.

PAS TOUJOURS TENDRES...

Il arrive que des mâles s'associent pour parvenir à se reproduire. Ils isolent une femelle, lui coupent la route et s'accouplent avec elle l'un après l'autre. Elle ne semble pas consentante, car elle essaie systématiquement de s'enfuir.

Pendant les jeux nuptiaux, si un autre mâle approche, il se fait mordre ou prend des coups de museau.

Chaleurs
état périodique
durant lequel
une femelle est apte
à se reproduire.

Lorsque la femelle est prête à se reproduire, elle bascule sur le côté. Le mâle peut alors coller son ventre contre le sien. Ils se placent ainsi l'un contre l'autre ou forment une croix.

Une union de courte durée

L'accouplement se déroule à l'écart du groupe et ne dure que quelques secondes. Cela vaut mieux : séparé des autres dauphins, le couple devient une proie plus facile pour les prédateurs. En revanche, les dauphins peuvent s'accoupler plusieurs fois de suite et pendant plusieurs jours, jusqu'à la fin des chaleurs de la femelle. Alors, les deux individus se séparent et chacun rejoint son clan. Personne n'a pu observer de couples durables chez les grands dauphins.

Le couple se frotte, se caresse, se mordille… L'un stimule du museau la zone génitale de l'autre, une fente située à l'arrière du ventre.

Affectueux toute l'année

Les accouplements ont généralement lieu au printemps, mais les grands dauphins se touchent, se frottent et se caressent toute l'année, même quand les femelles ne sont pas en chaleur, et même entre femelles ou entre mâles.
Ces jeux resserrent probablement les liens du groupe.
Les grands dauphins sont très sensuels car leur peau est très sensible. En se touchant les uns les autres, ils communiquent vraisemblablement leur attachement, et leur solidarité.

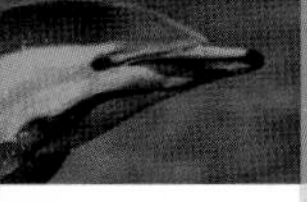

La naissance est un moment particulièrement délicat, mais les dauphins s'organisent.

Solidarité féminine

Une delphine qui s'apprête à mettre bas s'isole dans des eaux peu profondes, souvent en compagnie d'une ou plusieurs femelles, qui forment un cercle autour d'elle. On les appelle des « marraines ». Veulent-elles l'aider, la protéger ou apprendre ? Difficile de le savoir. L'événement se déroule à l'abri des regards, et parfois de nuit. Aucun humain n'y a jamais assisté, hormis pour des dauphins en captivité.

Après douze mois de gestation, la femelle met bas au printemps, dans des eaux peu profondes et calmes.

Par la queue, il vaut mieux

Le nouveau-né apparaît la queue la première. Tant qu'il n'a pas sorti sa tête, il n'a pas besoin de respirer. Si un imprévu survient (un requin rôdant dans les parages, par exemple), la mère peut interrompre le travail pendant que ses compagnes éloignent le danger, sans que le petit ne s'asphyxie. Dès qu'il est entièrement dehors, il remonte à la surface, poussé par sa mère ou par une marraine, et il prend son premier souffle.

Une astuce pour ne pas être repérée

Habituellement, les femelles mammifères expulsent juste après l'accouchement la poche qui a contenu le petit dans leur ventre et le placenta qui a servi à le nourrir. Chez les delphines, cela attend quelques heures. Pourquoi ? Pour que l'odeur du sang n'attire pas les prédateurs au moment où le petit et la mère sont les plus fragiles.

Un nouveau-né pèse entre 10 et 20 kg.

Oh, les beaux jours...

Les naissances ont lieu en général au printemps, un an après l'accouplement. Ainsi, les grands dauphins s'accouplent et mettent bas quand le climat est clément et la nourriture abondante, pour eux comme pour leurs prédateurs. Ces derniers risquent moins de les attaquer, puisqu'ils ont à manger. Mais dans certaines régions – au large de l'Ecosse, par exemple –, les naissances (et donc les accouplements) peuvent avoir lieu à la fin de l'été.

ENCEINTE ? PAS ENCEINTE ?

La femelle enceinte change peu : elle s'alourdit, mais son corps conserve sa forme, idéale pour se propulser dans l'eau. On a donc du mal à la distinguer des autres femelles. Et c'est tant mieux : elle est vulnérable, autant que cela ne se voie pas.

Grandir en sécurité

Un jeune peut rester longtemps proche de sa mère et profiter ainsi de sa protection.

Les delphineaux sont très fragiles. Un tiers d'entre eux meurent avant l'âge de 1 an.

De multiples dangers

Certains petits meurent avant de naître ou juste après leur naissance, affaiblis par la pollution de l'eau de mer, qui se concentre dans le placenta et le lait de leur mère. De nombreux delphineaux sont aussi pris au piège des filets de pêche – plus souvent que les adultes, qui ont appris à s'en méfier. Et, même si les adultes les protègent hardiment, ils peuvent être victimes d'orques ou de requins affamés.

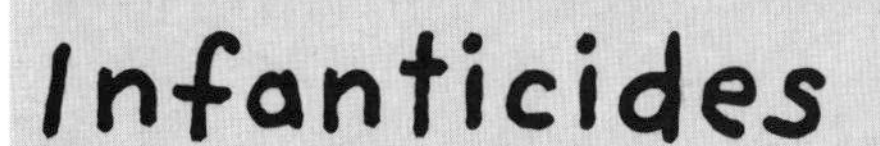

La mère expulse un lait très riche directement dans le bec du delphineau, qui remonte rapidement à la surface pour respirer… puis retourne téter.

Tant qu'elle allaite, une femelle n'est jamais en chaleur. Elle refuse donc de s'accoupler. Mais, si son petit meurt, elle est à nouveau rapidement disponible. Comme chez beaucoup de mammifères, il arrive donc que des mâles, poussés par le besoin de s'accoupler, tuent des petits. En restant groupées, les femelles s'entraident pour défendre leur progéniture. Si son petit survit, une femelle met bas seulement tous les 2 ou 3 ans.

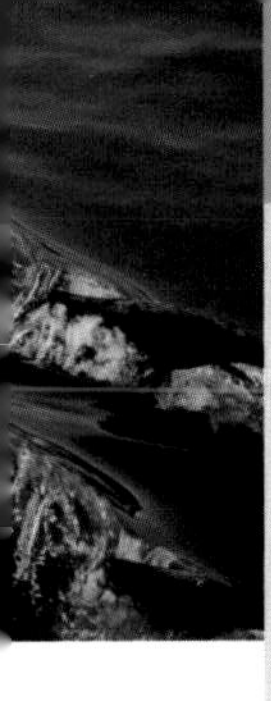

Un lait très riche

En restant près de sa mère, le petit semble ne former qu'un seul corps avec elle, ce qui lui permet de se camoufler de ses prédateurs.

Les delphines ne possèdent pas de seins, mais deux petites encoches sur le bas-ventre. Après avoir pris sa respiration en surface, le petit s'approche d'un des deux trous, d'où sort une petite mamelle qu'il prend dans son bec. C'est la mère qui expulse, d'un coup de muscle, le lait pour qu'il gicle dans la bouche du petit. Au bout de quelques instants, il remonte respirer, puis retourne téter, tout au long de la journée, et même la nuit. Le lait de sa mère, très riche en graisses, lui permet de doubler son poids de naissance en 10 jours !

Téter toute sa vie

Au bout de 1 an, la delphine commence à apporter à son petit des morceaux de proies, puis des poissons vivants qu'il doit attraper. Elle l'accompagne ensuite lors de ses premières chasses, jusqu'à ce qu'il sache se nourrir seul. Cela n'empêche pas le jeune de téter encore de temps en temps, même quand il a atteint sa taille adulte… Peut-être pour entretenir le lien avec sa mère, et profiter plus longtemps de sa protection.

En restant derrière sa mère, le delphineau a moins d'efforts à fournir pour avancer : il est comme aspiré dans le sillage.

Les grands dauphins meurent aussi

En hiver, les tempêtes sont nombreuses, l'eau de mer se refroidit... les plus faibles ont parfois du mal à résister.

Maladies et combats

L'hiver est la période la plus dangereuse pour les dauphins, mais tout au long de l'année des vers intestinaux, des virus ou des bactéries peuvent attaquer leurs systèmes respiratoire et digestif ou leurs muscles, perturber leur sens de l'orientation... Les batailles, entre dauphins ou contre des prédateurs (requins, orques), sont une autre cause de mortalité.

Excès de pollution

Les maladies et les blessures sont aggravées par la pollution des mers et des océans. Elle affaiblit les défenses naturelles des grands dauphins. Ceux-ci ingurgitent beaucoup de produits toxiques, car ils sont en haut de la pyramide alimentaire. Ils mangent des poissons carnivores, qui eux-mêmes ont mangé des poissons, qui eux-mêmes ont mangé des algues ou du plancton. Or carnivores, poissons, algues et plancton contiennent tous des polluants, qui s'accumulent ... avant d'arriver dans l'estomac du dauphin.

Les cadavres qui ont coulé sont dévorés par des requins, poissons nécrophages, des mollusques ou des crustacés. Quand ils s'échouent, ce sont les oiseaux nécrophages, comme les goélands, qui en profitent.

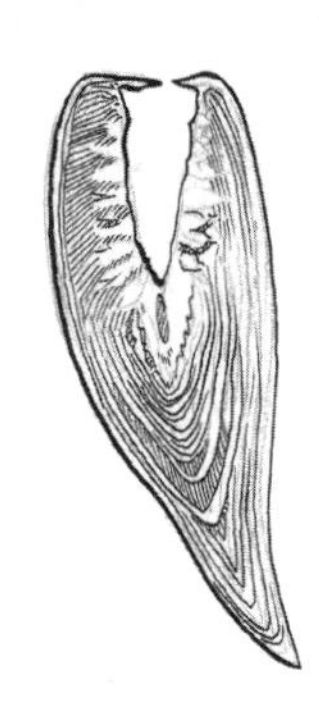

QUEL ÂGE ONT VOS DENTS ?

Les grands dauphins peuvent vivre plus de 50 ans. Pour connaître l'âge d'un individu au moment de son décès, on étudie ses dents. En les coupant dans la largeur, on aperçoit des stries. Plus il y en a, plus le dauphin mort était vieux.

Plancton
animaux ou plantes microscopiques ou minuscules (comme des petites crevettes) en suspension dans la mer, qui servent de nourriture aux poissons mais aussi aux baleines.

Les femelles plus résistantes que les mâles

Une fois digérés, les polluants se concentrent dans la graisse des grands dauphins et dans le lait maternel. En allaitant, les femelles s'en « débarrassent », mais cela peut tuer le premier petit qui vient téter (le suivant, lui, bénéficiera d'un lait plus sain). Quant aux mâles, ils amassent les polluants sans pouvoir les éliminer, ce qui les affaiblit. Comme, en plus, ils se battent plus souvent que les femelles, ils meurent en général plus jeunes qu'elles.

FLOTTER OU COULER ?

Le seul moyen de savoir pourquoi un dauphin est mort, c'est d'analyser son cadavre. Pour cela, il faut que le corps se soit échoué sur la plage. Ce n'est pas toujours le cas : si le cadavre est grignoté par les animaux, il va se remplir d'eau et couler. On ne connaît donc pas toutes les causes de mortalité des dauphins.

Non, il ne se moque pas

Que veut un dauphin
qui tire la langue ?
Jouer ou s'accoupler.

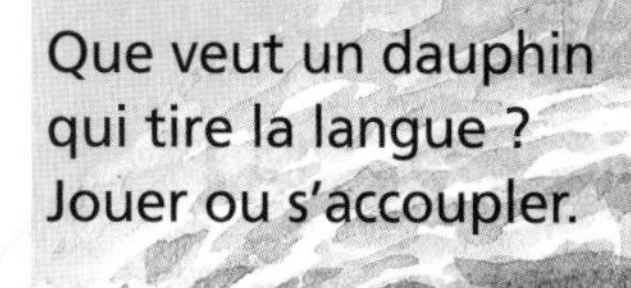

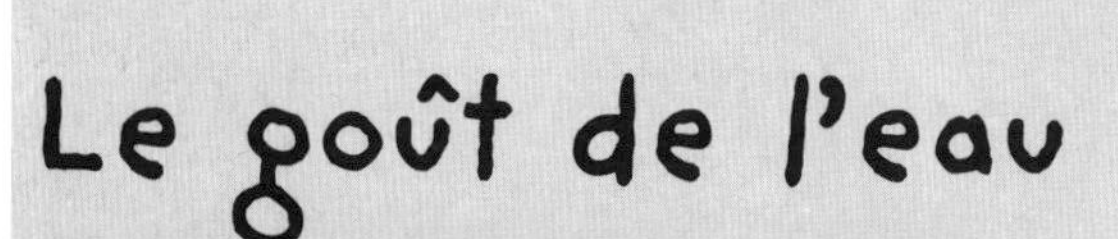

Le goût de l'eau

Lorsqu'une femelle est en chaleur, elle sécrète des substances chimiques spéciales, contenues dans son urine et ses matières fécales. Le mâle les détecte… en goûtant l'eau.

COMMENT DORMIR DANS L'EAU ?

Les dauphins ne dorment jamais vraiment. Ils reposent un seul côté de leur cerveau à la fois. La partie éveillée surveille les alentours pour repérer les dangers et permet au dauphin de ne pas oublier de remonter régulièrement pour respirer.

Vomir sans être malade

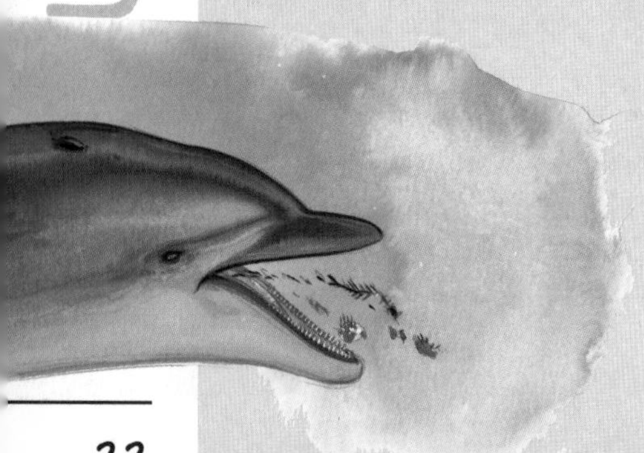

Le dauphin mange ses proies sans les mâcher. Les arêtes des poissons et les carapaces des crustacés peuvent ainsi rester plusieurs jours dans son estomac, puis le dauphin les… vomit !

Poils au nez

À la naissance, le delphineau a des poils au-dessus du rostre.
Ces poils tombent au bout de quelques jours.
Un reste des moustaches
de ses ancêtres terrestres ?

Bloqué

Les os du cou du dauphin (ses vertèbres cervicales) sont soudés. Il ne peut donc pas tourner la tête. S'il veut observer quelque chose qui se trouve hors de son champ de vision, il doit tourner son corps tout entier.

Avoir soif dans l'eau

L'eau de mer n'apaise pas la soif : elle est trop salée. En fait, c'est grâce au sang de leurs proies que les dauphins s'hydratent. De plus, comme ils ne transpirent pas, ils économisent l'eau – ce qui ne les empêche pas d'uriner pour rejeter les liquides inutiles qu'ils ont ingurgités.

mieux q
dans l'e

Les dauphins ont beau

ne pas être des poissons, ils se débrouillent tout de même sacrément bien dans l'eau ! Ils se déplacent à des vitesses record, parviennent à s'orienter dans l'obscurité, trouvent leur nourriture partout... Non seulement le grand dauphin s'est formidablement adapté au milieu marin, mais il fait preuve d'une grande inventivité pour y vivre plus confortablement. Il ne cesse d'étonner les scientifiques qui l'étudient.

u'un poisson
au

Bolides aquatiques

Le dauphin est parfaitement adapté
aux déplacements dans l'eau.
Il peut parcourir plus de 100 km
en une seule journée.

Plus vite, toujours plus vite

L'hydrodynamisme du dauphin est poussé à l'extrême. Son corps fuselé offre peu de résistance à l'eau, car seul ce qui est nécessaire « dépasse » : les nageoires pectorales lui servent à se diriger, la nageoire dorsale à se stabiliser, comme une dérive de bateau inversée. En dehors de cela, rien ne freine la progression de l'animal. De plus, la peau du dauphin est recouverte d'une substance graisseuse qui lui permet de mieux glisser dans l'eau. Elle suinte régulièrement à travers les pores de sa peau. C'est une technique que l'on retrouve aussi chez les poissons.

On a tenté de s'inspirer de la peau des dauphins pour améliorer la vitesse des sous-marins, mais sans succès, tant le principe est difficilement reproductible.

Une peau super équipée

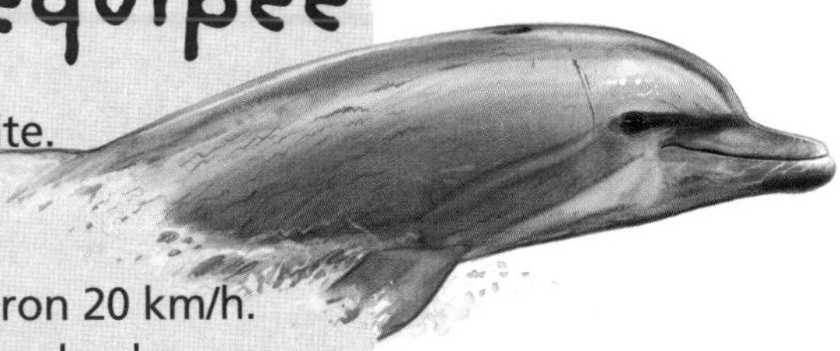

Dans l'eau, plus on est gros, moins on va vite. Le poids (de 300 à 650 kg) et la taille (de 2 à 4 m) du grand dauphin devraient limiter sa vitesse à environ 20 km/h. Or il atteint des pointes de plus de 50 km/h ! Cette performance est due à des capteurs disposés le long de son corps et qui « sentent » comment l'eau se comporte autour de lui. Alors, sa peau se creuse de rides minuscules, plus ou moins profondes, selon les besoins. L'eau glisse ainsi vers l'arrière sans problème. Les mini tourbillons et les remous qui pourraient freiner la nage du dauphin sont éliminés.

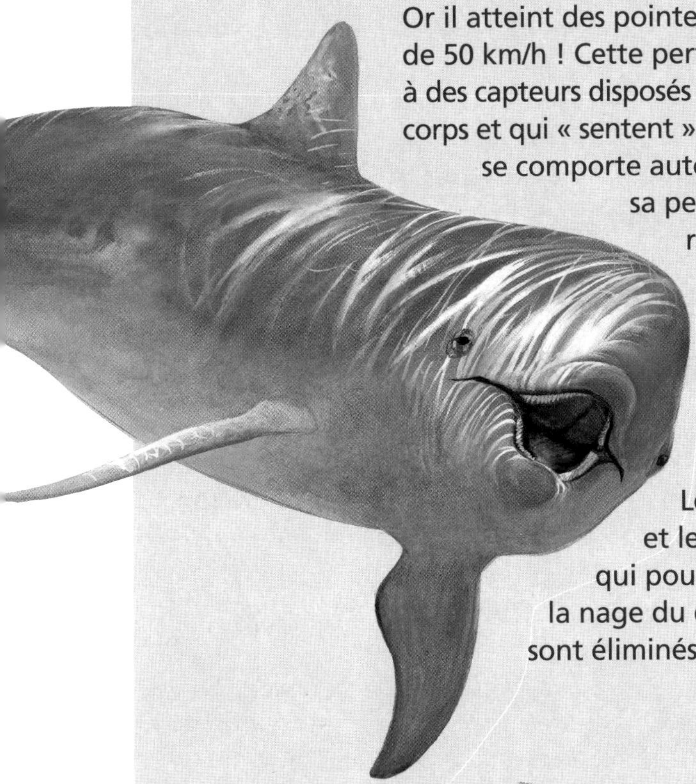

LA BONNE TECHNIQUE

Souvent, les dauphins ondulent à la surface, se déplaçant alternativement dans l'air et dans l'eau : on dit qu'ils « marsouinent ». Ils profitent en même temps de la poussée de l'eau vers la surface et de la légèreté qu'ils retrouvent dans l'air, et atteignent ainsi des vitesses impressionnantes.

Propulsion à grande puissance

La nageoire caudale (la queue) du grand dauphin est un formidable moteur. Actionnée par les muscles du bas de son dos, elle lui permet de sauter jusqu'à 10 m au-dessus de la surface : trois fois sa taille ! Mais il y a un truc : c'est la pression de l'eau, en fait, qui pousse le dauphin vers le haut, comme un bouchon de champagne ou un savon qui glisse hors de notre main ! Quand il atteint l'air, il prend encore plus de vitesse, car la pression diminue : il s'envole !

Voir dans l'eau

Les dauphins ont les yeux recouverts d'une substance qui les protège dans l'eau, un peu comme un masque de plongée.

Bleu, blanc, noir

Les dauphins voient en noir et blanc, et distinguent un peu le bleu. C'est la couleur, parmi toutes celles qui composent la lumière blanche du soleil, qui pénétre le mieux dans la mer (jusqu'à 20 m). Au-delà, il fait très sombre.

Dans le bleu de la mer, tout est bleu, ou presque.

Éclairage de nuit

Quand on plonge au-dessous de 250 m, il fait complètement noir. Comment les grands dauphins font-ils donc pour repérer leurs proies, qui peuvent descendre jusqu'à 600 m ?

En fait, leurs yeux sont équipés de petits cristaux qui démultiplient la moindre lueur et leur permettent de voir dans l'obscurité.
Et les dauphins disposent également d'un ingénieux système appelé « sonar » (voir p. 30). Grâce à lui, ils s'orientent même dans le noir des profondeurs.

Des yeux adaptables...

Dans l'eau, les objets semblent plus près de nous qu'ils ne le sont en réalité : c'est l'effet loupe, qu'on ne retrouve pas dans l'air. Donc, quand un dauphin commence sa course dans l'eau et qu'il finit par saisir au vol un objet dans l'air, il devrait logiquement le rater, puisqu'il change de milieu. Eh bien, non : son cristallin s'adapte instantanément… et le dauphin atteint son but presque à tous les coups !

Cristallin
lentille bombée à l'intérieur de l'œil. Le cristallin se courbe plus ou moins, afin de voir de près ou de loin.

Ouvrir les yeux sous la mer est assez désagréable, pour nous : ça pique, et on y voit tout flou ! Les dauphins voient aussi bien dans l'eau que dans l'air, grâce à leur cristallin, recouvert d'une substance qui protège les yeux.

... mais pas si précis que ça

Les yeux du dauphin sont placés de chaque côté de sa tête. Il voit ainsi très bien sur les côtés, mais ne se sert que d'un seul œil à la fois : il a une vision monoculaire. Or, pour voir les distances et les reliefs, il faut une vision binoculaire, c'est-à-dire regarder avec les deux yeux en même temps. Le dauphin ne peut voir avec ses deux yeux que juste en face de lui. Mais il compense ce défaut grâce à son sens auditif, très développé.

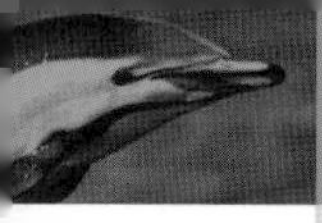

S'orienter grâce aux sons

Comme les grands dauphins évoluent dans un univers où les repères sont rares et la lumière faible, ils ont développé un sixième sens…

Un système unique…

Ce que « voient » les grands dauphins ressemble à une échographie.

Le grand dauphin émet continuellement des sons que l'on appelle des « clics ». Quand ces clics « butent » sur quelque chose (proie, relief…), leur écho est renvoyé vers le dauphin, qui les analyse. Il peut ainsi déduire la distance à laquelle se situe un obstacle, la forme des animaux auxquels les clics se heurtent, leur vitesse de déplacement… Un système bien plus efficace que la vue. Les hommes ont copié ce système pour l'appliquer à leurs sous-marins. On l'appelle « écholocation » ou « sonar ».

UNE « VUE » PERÇANTE

Les clics émis par les dauphins leur indiquent non seulement la distance à laquelle se trouvent les choses, mais également ce qui se passe à l'intérieur, un peu comme une échographie. De cette façon, un grand dauphin peut repérer une proie qui se cache sous le sable. Il « voit » si, dans son clan, un dauphin est stressé (son sang circule trop vite) ou malade (sa digestion est trop lente) – donc s'il faut le protéger…

et très efficace...

L'écho se déplace à la vitesse du son, qui se propage cinq fois plus vite dans l'eau que dans l'air. Plus les dauphins ont besoin de précisions, plus ils émettent de clics. Ils se construisent ainsi une « image sonore » aussi nette que celle que nous offrent nos yeux, mais jusqu'à 800 m de distance. C'est ainsi qu'ils perçoivent l'arrivée d'ennemis ou la présence d'obstacles bien avant que leurs yeux ne le leur confirment.

Le sonar des dauphins est très sensible au bruit, par exemple à celui des moteurs de bateaux.

mais fragile

Le sonar permet de repérer le moindre obstacle, mais il est très sensible au bruit. Les moteurs des bateaux ou les sonars ultra-puissants des sous-marins militaires peuvent désorienter dangereusement les dauphins. Ils peuvent même les blesser, de la même façon que le vacarme d'un avion peut nous faire mal aux oreilles.

Comme nous, les dauphins possèdent des dents. Elles leur servent à chasser, mais pas à mâcher !

Le grand dauphin attrape avec ses dents acérées un petit poisson.

Un animal opportuniste

Le grand dauphin trouve des poissons, des crustacés et des mollusques près des côtes comme au large. Avec ses dents acérées, il les attrape en pleine eau, les débusque dans le sable et les déniche dans les roches. Anchois, sardines, merlus, maquereaux, limandes, calmars... Le régime alimentaire du dauphin est très varié.

Rassemblements festifs

Quand les courants froids remontent le long d'une falaise sous-marine, ils rencontrent à la surface de l'eau chauffée par le soleil. Le plancton naît de cette rencontre et attire les poissons (et les cétacés) qui s'en nourrissent. Alors, les roussettes, les thons et les dauphins sont au rendez-vous pour un grand festin !

En Australie, certaines delphines entourent leur rostre d'une éponge avant de fouiller dans le sable. Elles évitent ainsi de se blesser le bec en se frottant aux grains de sable.

BOIRE LA TASSE : IMPOSSIBLE !

Chez les dauphins, le tube respiratoire et le tube digestif sont séparés : le premier est relié à l'évent, le second à la bouche. Un dauphin ne peut donc pas respirer par la bouche et ne risque pas d'avaler de travers ou de boire la tasse !

L'EAU N'A PAS D'ODEUR

Les dauphins ne possèdent pas d'odorat. Cela ne leur servirait pas à grand-chose : les odeurs sont quasiment imperceptibles dans l'eau. En revanche, leur sens du goût est particulièrement développé, et ça, c'est utile : l'eau change en effet de saveur s'il y a des poissons dans les parages, si un requin approche…

Rester au chaud

Les graisses forment une couche épaisse sous la peau du dauphin et l'isolent du froid. Pour cela, un grand dauphin a besoin de manger de 5 à 8 kg de nourriture par jour. Ce qui lui permet de maintenir sa température corporelle à 35-37°C, dans une eau qui peut descendre jusqu'à 10°C en hiver.

Cul sec !

Les dauphins ne mâchent pas : ils déchiquettent leurs proies ou les avalent d'un seul coup. Ce sont les sucs gastriques présents dans leur estomac qui vont réduire les chairs en bouillie. Les dauphins ont un estomac de ruminant, comme la vache! Arêtes, cartilages et carapaces seront, quant à eux, régurgités quelques jours plus tard.

Un excellent chasseur

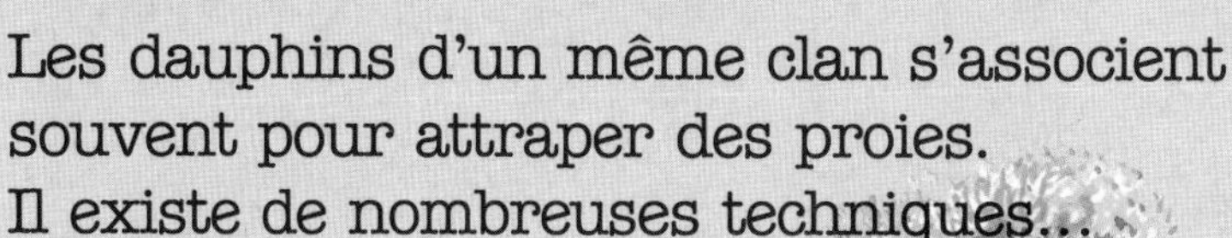

Les dauphins d'un même clan s'associent souvent pour attraper des proies. Il existe de nombreuses techniques…

L'échouage

Dans les régions aux rivages boueux, comme le delta du Mississippi, les grands dauphins poursuivent en bandes les poissons jusque sur le sable. Ils s'échouent momentanément pour les capturer, puis retournent dans l'eau.

Le binôme

Comment déloger une murène de son trou ? En s'y mettant à deux, et en se postant chacun à une extrémité de la cachette où elle se réfugie… Il suffit ensuite d'attendre patiemment qu'elle se décide à sortir, d'un côté ou de l'autre.

EN APNÉE…
Le grand dauphin doit parfois descendre jusqu'à 600 m de profondeur pour trouver sa nourriture. Comment fait-il pour ne pas s'étouffer ? Les battements de son cœur ralentissent. Son sang circule au ralenti et n'irrigue plus que le cœur et le cerveau. Le dauphin économise ainsi son oxygène et peut rester jusqu'à 20 minutes sans respirer.

Qui se tapit dans sa tanière ? Une murène, dont deux dauphins attendent patiemment la sortie.

L'alliance

Pour chasser, rien de tel qu'un allié puissant ! Quand dauphins et requins ne s'affrontent pas, ils poursuivent ensemble des bancs de poissons et de calmars, en Australie ou au large du Costa Rica, par exemple. Les requins ne pensent pas à s'attaquer aux dauphins : ils ont toute la nourriture qu'il faut, facilement accessible.

L'encerclement

La technique consiste à encadrer les bancs de poissons pour les obliger à se regrouper en paquets compacts. Il ne reste plus alors aux dauphins qu'à tendre le bec pour attraper un poisson désorienté par la panique générale.

La gifle

D'un coup de queue, les dauphins envoient certains poissons voler 10 m au-dessus de l'eau, puis les récupèrent à la surface, complètement assommés.

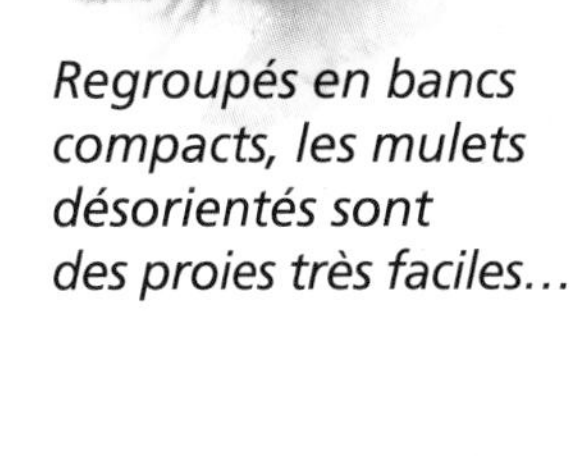

Regroupés en bancs compacts, les mulets désorientés sont des proies très faciles…

Il n'y a pas que des proies dans l'océan : les dauphins y côtoient aussi, plus ou moins pacifiquement, d'autres espèces.

Jeux gratuits

L'envie de s'amuser, c'est bien ce qui semble pousser les grands dauphins à faire valser des oiseaux au-dessus de l'eau. Goëlands et fous de Bassan en meurent d'épuisement. Cependant, ils ne sont pas les seules victimes. En 1996, une équipe de scientifiques a même découvert sur une plage écossaise un cadavre de marsouin dont les blessures n'avaient pu être causées que par un grand dauphin.

Ce marsouin échoué a sûrement été victime d'une attaque de grand dauphin : la forme de ses blessures l'atteste.

Concurrents gênants

Les dauphins s'amusent parfois de la sorte avec des otaries à fourrure, des lions de mer ou des iguanes marins. Le long des côtes américaines, ils jettent des tortues en l'air, les retournent sur le dos ou les maintiennent sous l'eau. Mais, une fois qu'ils les ont tuées, ils ne les mangent pas. Comme ce comportement ne leur sert pas à se nourrir, on pense qu'il est motivé par le sentiment de concurrence. Les grands dauphins se débarrasseraient ainsi d'animaux qui s'attaquent aux mêmes sources de nourriture qu'eux.

Adoptions temporaires

Différentes espèces de dauphins peuvent s'associer. Des grands dauphins nagent souvent aux côtés de dauphins bleu et blanc, de dauphins de Risso ou de globicéphales. Ils restent ensemble pendant plusieurs jours et chassent les mêmes proies.

Marsouin
petit cétacé proche du dauphin, à la tête ronde et légèrement pointue, sans bec.

Dauphin de Risso
dauphin à la tête carrée, dont la peau gris foncé est couverte de cicatrices blanches.

Globicéphale
gros dauphin noir, au museau arrondi, qui vit en groupes très solidaires, en général loin des côtes.

Mariages mixtes

En Méditerranée, on a vu nager près d'un grand dauphin adulte un delphineau qui ressemblait étrangement à un dauphin de Risso. Il possédait des caractères des deux espèces : la robe grise du grand dauphin et le bec arrondi du dauphin de Risso. Dans le règne animal, les individus nés de l'union de deux espèces différentes sont le plus souvent stériles, c'est-à-dire qu'ils ne peuvent pas se reproduire. Ils y parviennent cependant en captivité. Un mystère de plus pour les scientifiques…

Le mariage improbable et pourtant réel d'un grand dauphin et d'un dauphin de Risso ?

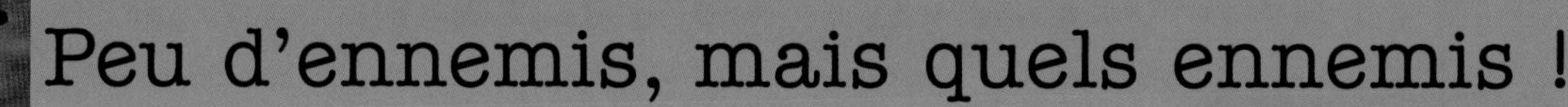

Peu d'ennemis, mais quels ennemis !

Le dauphin se trouve en haut de la pyramide alimentaire et possède peu de prédateurs. Ses seuls ennemis sont… les orques et les requins.

Grands prédateurs

L'orque, le requin et le grand dauphin sont des « grands prédateurs », comme le loup ou le lynx sur terre. Ils se situent en haut de la pyramide alimentaire. Au-dessus des grands carnivores, il n'y a pas de prédateurs animaux, il n'y a plus que l'homme…

Technique antirequins

Face aux requins, les dauphins ont une parade : la solidarité. Dès que des requins en quête de nourriture rôdent dans les parages, cliquetis et sifflets sonnent le rassemblement. Les dauphins encerclent leurs ennemis et se concertent pour lancer une attaque groupée. À coups de rostre dans le foie, ils en viennent presque toujours à bout, non sans avoir reçu quelques coups de dents. Cela laisse des marques sur leur peau fragile, et peut même blesser mortellement certains individus. En effet, leur peau à vif est plus sensible aux bactéries et polluants présents dans l'eau. Les blessures et le stress de la lutte peuvent les fatiguer au point qu'ils n'ont plus la force de trouver leur nourriture ou de résister au froid…

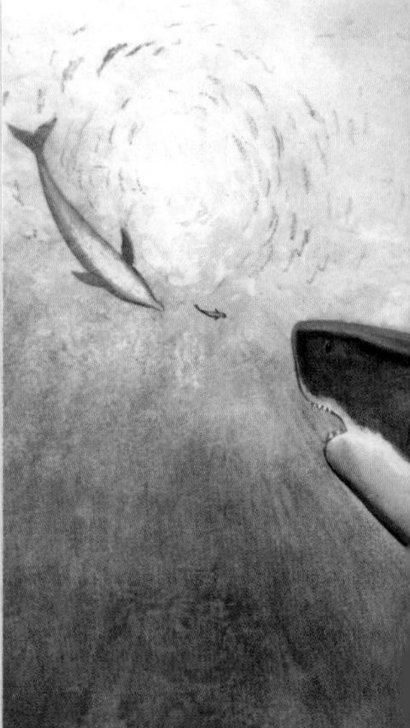

APRÈS LA BATAILLE…

Les grands dauphins sont très solidaires. Si l'un d'entre eux est blessé par un prédateur ou s'il est malade, les autres le soulèvent avec leur museau jusqu'à la surface. Ils l'aident ainsi à respirer, parfois pendant plusieurs jours.

Le grand dauphin ne fait pas le poids face à une orque, mais les rencontres sont rares : les deux animaux ne fréquentent pas souvent les mêmes milieux.

Les orques, imbattables

Face à une orque, la partie est perdue d'avance : ce cétacé mesure jusqu'à 8 m de long, soit plus du double d'un grand dauphin mâle, et pèse dix fois plus que lui.
Heureusement, les face-à-face sont rares. L'orque, qui est aussi une espèce de dauphin, se nourrit principalement de poissons et de calmars, et vit plutôt au large. Quand elle s'attaque à un dauphin ou à une baleine, elle choisit des individus solitaires ou malades. Il faut pour cela qu'elle ait du mal à trouver sa nourriture, par exemple à cause du manque de poissons, dont les stocks s'épuisent dans certaines régions à cause de la surpêche.

Le daup

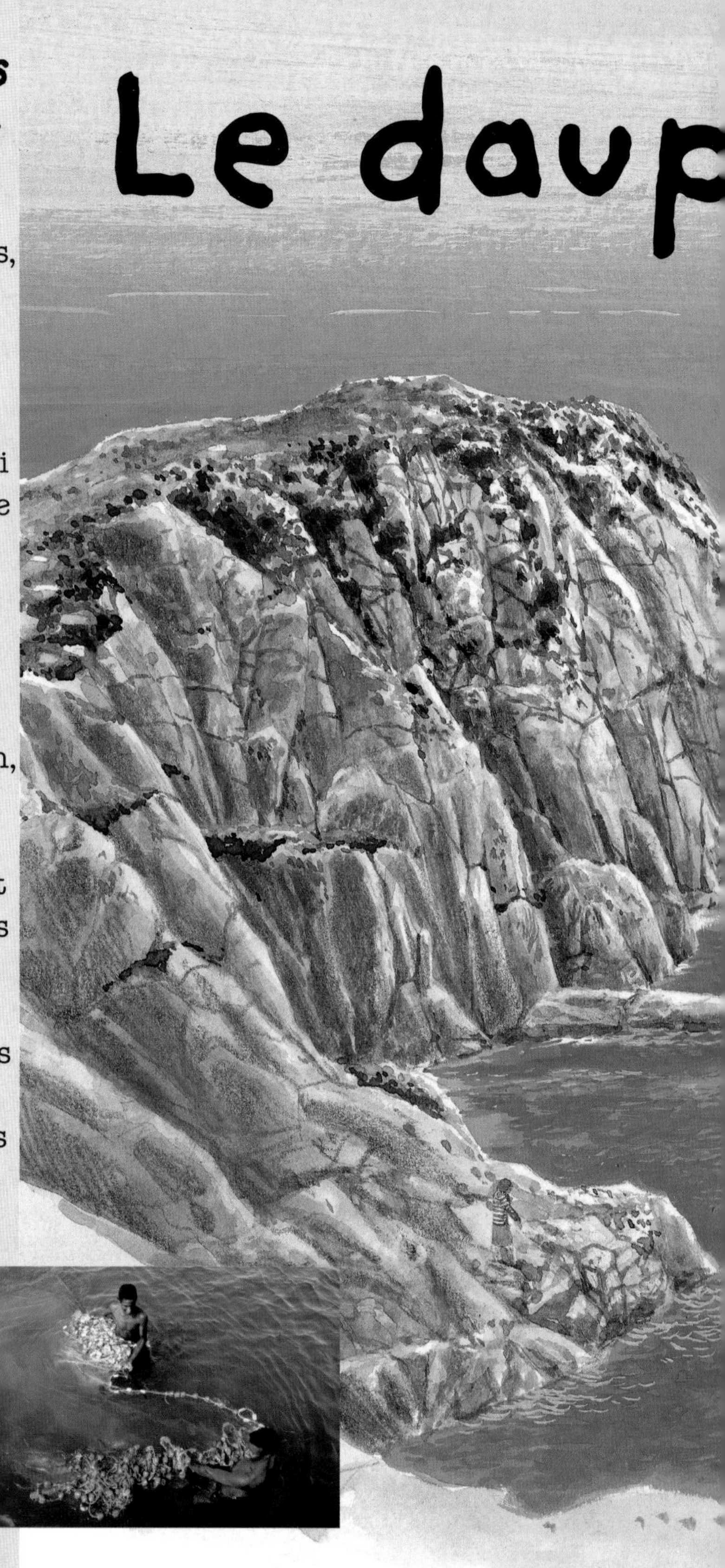

Les dauphins vivent près des côtes,

donc près des hommes, et la cohabitation n'est pas toujours facile. Les dauphins sont parfois chassés par des pêcheurs, qui les considèrent comme des concurrents, ou encore tués pour leur viande, consommée dans certaines régions du monde – au Japon, par exemple.
Peu farouches, ces animaux s'approchent volontiers des hommes et se font facilement capturer, pour finir leur vie dans des zoos aquatiques... C'est une des rares espèces de mammifères marins qui survit en captivité.
Mais hommes et dauphins se côtoient parfois pour le bonheur des uns comme des autres.

hin et l'homme

Docile ou rebelle ?

Les vagues créées à l'étrave des paquebots sont des terrains de jeux appréciés des dauphins.

Si le dauphin nous amuse régulièrement de ses cabrioles, il sait aussi nous rappeler à l'ordre en cas de problème...

Un animal sauvage...

Dans de nombreuses baies, la foule se presse pour le rencontrer : au Brésil, en Écosse, en Égypte, au Panama, en Nouvelle-Zélande... Le grand dauphin, au même titre que la baleine ou le requin, est une bête puissante et sauvage, qu'il faut respecter. Il n'hésite pas à se servir de ses nageoires pour se défendre. Au Brésil, un homme a été mortellement blessé par un grand dauphin : il lui avait bouché l'évent avec une canette de bière. L'animal s'est tout simplement défendu...

mais qui ne craint pas la compagnie de l'homme...

Sur la plage de Monkey Mia, en Australie, un groupe de grands dauphins très peu farouches vient régulièrement saluer les hommes. Ils s'approchent si près qu'ils peuvent attraper les poissons qu'on leur tend. Malheureusement, il y a eu des abus : certaines personnes essayaient de s'accrocher aux nageoires des dauphins pour se faire tracter dans l'eau. Ces rencontres sont désormais encadrées par des gardes-nature, qui empêchent les touristes de s'approcher des animaux ou de les toucher.

Tous les matins, dans les eaux de Monkey Mia, des dizaines de touristes, de l'eau jusqu'aux genoux, ont rendez-vous avec des grands dauphins.

et qui sait en profiter

Dans toutes les mers du monde, au large, de la même façon qu'ils surfent dans les vagues, les grands dauphins aiment virevolter à l'avant des bateaux, pendant quelques minutes ou durant plusieurs heures. Ils se font ainsi chatouiller et masser par les remous. Peut-être en profitent-ils pour se débarrasser de parasites ? Ou se reposent-ils d'une longue route, en se laissant aspirer par les turbulences créées par le bateau ?

Les dauphins viennent souvent à la rencontre des voiliers, virevoltant à l'étrave, pour la plus grande joie des plaisanciers.

CONTAGIEUX, LE DAUPHIN

En touchant un dauphin, on peut attraper des maladies comme la brucellose, qui se traduit par de la fièvre, des courbatures et des boutons. Très difficile à soigner, la brucellose peut se transmettre du dauphin à l'homme, entre hommes, et entre dauphins. Nous avons une dizaine de maladies en commun avec lui, il faut faire attention.

En 1991, une delphine s'est installée dans le port de Collioure, dans le sud de la France... On l'appelait Dolphy...

Un petit tour et puis s'en va...

Dolphy, comme l'ont surnommée les habitants de Collioure, jouait avec les enfants et les adultes qui s'aventuraient dans l'eau à ses côtés, et même avec un chien. Elle se frottait aux coques des bateaux, et suivait les pêcheurs qui entraient ou sortaient du port. Dolphy s'installa dans la région pendant quatre ans, visitant plusieurs ports des Pyrénées-Orientales et d'Espagne. Il fallut expliquer aux nombreux touristes qui voulaient l'approcher qu'elle était fragile et pouvait les attaquer si elle se sentait en danger. Elle fut aperçue pour la dernière fois en juin 1995, en compagnie d'autres dauphins. Elle avait retrouvé un clan.

Le plus fidèle ami de Dolphy était... Rocky, le chien !

Dolphy, comme de nombreux grands dauphins dits « ambassadeurs », accompagnait les pêcheurs qui rentraient au port.

On en voit partout

Jean-Floc'h, Roméo, Oline, Fanny… Ils seraient actuellement au moins une cinquantaine dans le monde. Qui sont-ils ? Des dauphins solitaires. Ont-ils été chassés par leur clan, sont-ils les seuls rescapés d'une épidémie ? On ne le sait pas. Chacun a sa propre histoire. Ces dauphins s'installent, plus ou moins longtemps, dans des ports ou des baies. En France, mais aussi en Italie, en Égypte, en Australie, en Norvège, en Angleterre, aux États-Unis, au Brésil…

Ambassadeurs ? Pas très autonomes, plutôt !

On les a appelés les dauphins « ambassadeurs ». Aucune ambassade ne les envoie, bien sûr, ces animaux éprouvent simplement le besoin de ne pas rester seuls. Le grand dauphin vit habituellement en groupe, où il a appris la solidarité pour échapper aux dangers, pour se nourrir, pour grandir… Dans les ports, il y a plein de bateaux de pêche à suivre pour trouver de la nourriture, et aussi de la compagnie, pour échapper à la solitude.

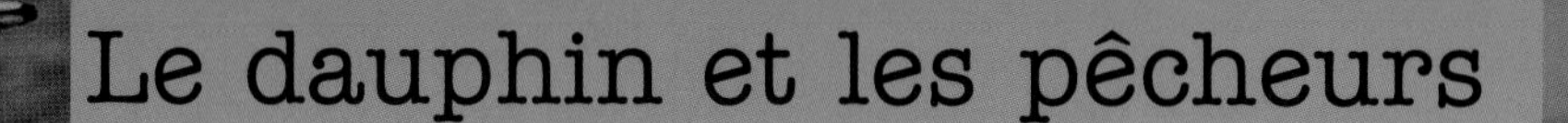

Le dauphin et les pêcheurs

De nombreux pêcheurs considèrent les dauphins comme des concurrents, Mais il arrive aussi qu'ils s'associent.

En baie d'Arguin, les Imragen pêchent avec les dauphins depuis des millénaires. Les uns profitent des autres, et tout le monde semble satisfait.

Esprit d'équipe

Le jour se lève sur la Mauritanie. Un enfant qui joue sur la plage repère au loin l'agitation typique d'un banc de mulets. Il alerte tout le village. Les pêcheurs imragens, armés de filets et de bâtons, s'avancent dans l'eau et tapotent la surface. Pas pour faire fuir les poissons, bien sûr, mais pour appeler leurs alliés : les dauphins. Les cétacés vont rabattre les poissons vers la plage, donc vers les filets des pêcheurs. En récompense, ils recevront leur part de poissons, beaucoup plus simples à attraper dans la panique…

Dauphins voleurs

En Méditerranée, il suffit de suivre un chalutier pour rencontrer des grands dauphins. Ils profitent de l'agitation au-dessus des dragues qui raclent le fond marin pour se nourrir. Mais ils peuvent aussi aller chercher du poisson directement dans les filets des pêcheurs. Bien évidemment, ces derniers n'apprécient pas, et chassent parfois les animaux à coups de fusil. Pour éviter cela, des associations installent aujourd'hui sur les filets des petits boîtiers. Ceux-ci émettent un signal sonore qui signifie « danger » dans le langage des dauphins. Quand ils l'entendent, les animaux s'éloignent immédiatement.

Filets mortels

Des boîtiers émetteurs d'un signal de danger pour les dauphins sont testés sur les filets dérivants, qui font des milliers de victimes chaque année. Dans certaines régions, comme en Méditerranée, des associations se battent pour l'interdiction de ces immenses filets.

Il arrive souvent que les dauphins se trouvent coincés dans d'immenses filets que les pêcheurs laissent dériver au large. Ils se blessent mortellement en essayant de s'échapper, ou s'asphyxient, bloqués sous l'eau. Les pêcheurs essaient de les relâcher, mais souvent trop tard et rarement sans séquelles... 2 millions de dauphins bleu et blanc, dauphins communs, grands dauphins ou marsouins, mais aussi des tortues ont été pris au piège dans l'océan Pacifique ces 20 dernières années.

Un clown triste

1 dauphin sur 2 meurt pendant sa première année de captivité. Les autres survivent environ 20 ans : 2 fois moins qu'en liberté.

Prisonniers

Plus de 1 000 grands dauphins vivent dans des marinelands (ou delphinariums). Ce sont des zoos aquatiques où des grands dauphins et des orques sont dressés pour réaliser des spectacles. Certains hôtels de luxe enferment également des dauphins dans des piscines, pour divertir leurs clients… Cela implique des captures. Chaque fois, 3 à 10 animaux meurent, blessés pendant la prise ou après un trop grand stress. Le survivant, déjà traumatisé, l'est encore plus par le transport : camion, avion, bateau. S'il ne meurt pas pendant le trajet, il découvre sa nouvelle demeure : un bassin sans rochers ni poissons, ni sable, ni algues… L'eau chlorée lui attaque la peau et les yeux. Il ne peut rien faire d'autre que répondre aux ordres des dresseurs.

Les captures de dauphins pour les marinelands sont violentes et ne laissent pas non plus indemnes ceux qui restent en liberté, traumatisés ou blessés.

Au prix d'un long dressage, les grands dauphins captifs amusent les spectateurs. Le bonheur des uns fait le malheur des autres.

Dressé, gavé et silencieux

Tous les jours, on lui fait répéter les mêmes pirouettes, en le « récompensant » par du poisson mort et congelé, lui qui est un chasseur-né. S'il refuse de se nourrir, on le gave de force jusqu'à ce qu'il se résigne à accepter son nouveau régime alimentaire. Un dauphin captif n'utilise plus son sonar, car l'écho de ses clics résonne en permanence contre les parois en béton du bassin. Même s'il parvient à s'habituer à la captivité, ce dauphin vivra moins longtemps qu'un individu sauvage : 20 ans en moyenne, au lieu de plus de 50 ans dans la nature.

Un vrai dauphin est un dauphin libre

On a acquis l'essentiel de nos connaissances sur les grands dauphins en les étudiant dans les marinelands, au prix de la mort de centaines d'entre eux. Aujourd'hui, les scientifiques observent ces animaux en liberté, et réalisent à quel point la captivité modifie leur comportement. En Angleterre, il n'y a plus de delphinariums, car le public s'est mobilisé contre cette pratique. Il en reste en France, aux États-Unis, en Belgique… Moins ils auront de visiteurs, plus vite ils fermeront.

La forme de la bouche du grand dauphin, arrondie vers le haut, nous donne l'impression qu'il sourit tout le temps, mais c'est une illusion. Même quand il est malade, il « sourit »…

Des dauphins bons à tout faire

Les hommes ne sont jamais à court d'idées quand il s'agit d'exploiter les animaux…

Des soldats sous-marins

La marine américaine et l'armée russe ont souvent dressé et utilisé des grands dauphins. Ces derniers surveillaient les environs et, en cas de danger (un bateau étranger qui approchait, par exemple), revenaient vers les soldats en poussant des cris. Ils attaquaient physiquement les espions qui tentaient de s'approcher. Ils ont servi de torpilles vivantes : on leur a fait déposer des bombes sur des bâtiments ennemis. Ils y laissaient parfois leur vie…

La chasse aux dauphins et aux baleines est une tradition centenaire au Japon (peinture japonaise du XVIIIe siècle).

L'armée des États-Unis possède encore de nombreux dauphins. Certains sont à l'heure actuelle employés en Irak et pour protéger des ports américains.

…qui désertent parfois

Ces apprentis guerriers n'étaient pas toujours très fiables : ils s'échappaient, ne répondaient pas exactement aux ordres… Aujourd'hui, il semble que les armées cherchent à se débarrasser de leurs mammifères marins entraînés (il y aurait aussi des phoques et des bélugas). Seule solution : les marinelands. Remis en liberté, ces animaux pourraient en effet être dangereux, car ils ont été dressés pour attaquer l'homme. Par ailleurs, ils seraient sans doute incapables de se débrouiller seuls. Habitués à être nourris, ils auraient des difficultés à chasser, par exemple.

Gibiers des océans

Au Japon, 20 000 dauphins (toutes espèces confondues) sont tués chaque année : dans ce pays, leur chair est consommée. On chasse également le dauphin au Venezuela et au Chili, non seulement pour le manger, mais aussi pour appâter, grâce à sa chair, les requins ou les crabes. C'est aussi le cas en Indonésie et dans les îles Salomon.

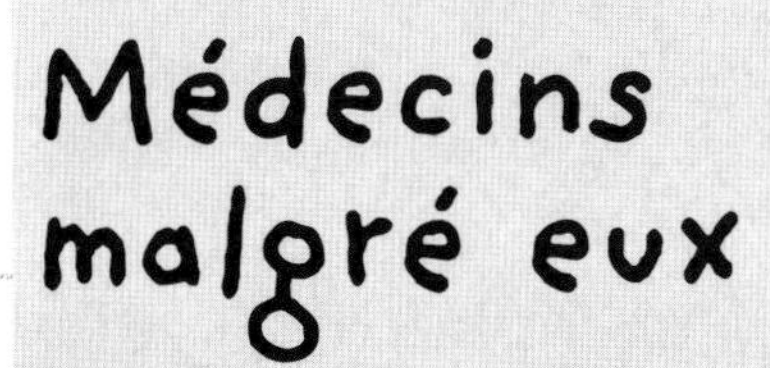

Médecins malgré eux

En Écosse, en Espagne, en Israël ou aux États-Unis, certains médecins utilisent des grands dauphins pour soigner des enfants autistes ou des adultes dépressifs. Leur présence apaiserait ces malades. Les rencontres ont lieu dans des piscines ou des baies fermées. Or rien ne prouve que ces séances soient réellement efficaces sur leur maladie. Le contact avec des animaux domestiques, chiens, chats, chevaux, pourrait être tout aussi bénéfique.

La pêche japonaise est un véritable carnage. Mais, en plus, la viande de dauphins peut être dangereuse pour la santé humaine, car elle contient de nombreux polluants.

LES DAUPHINS DE RIVIÈRE, MÉCONNUS MAIS DÉJÀ MENACÉS

Les dauphins de rivière vivent en Inde, en Chine et au Brésil. L'huile que produit leur corps est très recherchée : elle posséderait des vertus médicinales. Ces dauphins sont chassés et deviennent de plus en plus rares. Une espèce, le dauphin du Yangzi Jiang, a même sans doute disparu en 2006.

Menaces et protections

Les dauphins peuvent également souffrir des activités humaines en mer et de la pollution.

Un marsouin échoué : grâce à son autopsie, les scientifiques connaîtront la cause de sa mort et apprendront comment mieux protéger cette espèce, proche des grands dauphins.

Boussole hors service

Le sonar des dauphins, qui leur sert à s'orienter (voir p. 30), est très sensible au bruit. Au cours du printemps 2006, 600 grands dauphins ont été retrouvés morts sur une plage de Zanzibar, en Tanzanie. Des sonars militaires ultra-puissants ont sans doute perturbé leur audition et les ont désorientés. Un échouage aussi massif est très rare chez les grands dauphins, mais fréquent chez les globicéphales.

Accidents de la mer

Les grands dauphins doivent aussi se méfier des hélices des bateaux. Des organisateurs de croisières ou des plaisanciers, qui veulent observer les cétacés, s'approchent parfois trop près d'eux, moteurs en marche. Les dauphins n'ont pas toujours le temps de les éviter et peuvent ainsi être blessés. En Méditerranée, des associations essaient de faire respecter un « code de bonne conduite » lors de l'observation des cétacés, afin d'éviter de les déranger.

On voit souvent de nombreux globicéphales s'échouer sur des plages (aux États-Unis, en Nouvelle-Zélande…), sans que l'on connaisse vraiment les raisons de ces hécatombes…

Des lois pour sauver les cétacés

Les plates-formes pétrolières sont une des causes de la pollution des mers, parmi de nombreuses autres.

La convention de Washington (1973) interdit de tuer, de vendre ou d'acheter des grands dauphins. Mais tous les pays ne la respectent pas… Aux États-Unis, pour pouvoir vendre leurs poissons, les pêcheurs de thon doivent prouver qu'ils se sont équipés pour ne pas capturer de dauphins, même de manière accidentelle.

Sanctuaires

Grâce aux associations, des zones protégées ont été créées en Méditerranée, dans les Caraïbes, en Polynésie… Mais ce sont des étendues immenses et difficiles à surveiller. On ne peut pas être sûr qu'aucune activité dangereuse ne s'y déroule.

LA ROUTE DES POLLUANTS

Les pesticides et les engrais utilisés dans les champs sont entraînés par la pluie vers les cours d'eau. En mer s'y ajoutent les marées noires ou les vidanges illégales des navires. Les produits chimiques font des ravages chez les animaux marins. Les grands dauphins en souffrent particulièrement, car ils vivent près des côtes, où la pollution est moins diluée qu'au large.

Histoire

Navigateur solitaire,

Bernard Moitessier est connu pour avoir pulvérisé le record du tour du monde à la voile en 1960-1961. Dans le Pacifique sud, un groupe de dauphins se mit à le suivre, puis à tourner, plusieurs fois de suite, vers la droite. À force de les voir répéter ce manège, le skipper regarda sa boussole et comprit qu'il filait droit sur des rochers. Il reprit le bon cap : les dauphins l'avaient sauvé du naufrage... De nombreuses histoires, réelles ou non, ont créé le mythe du « gentil dauphin ».

s de dauphins

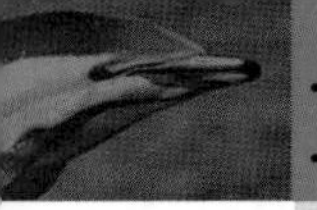

Les mots du dauphin

Le dauphin est à l'origine de plusieurs noms ou expressions. On l'appelle « cochon de mer » dans de nombreux pays.

Un cochon qui ronfle

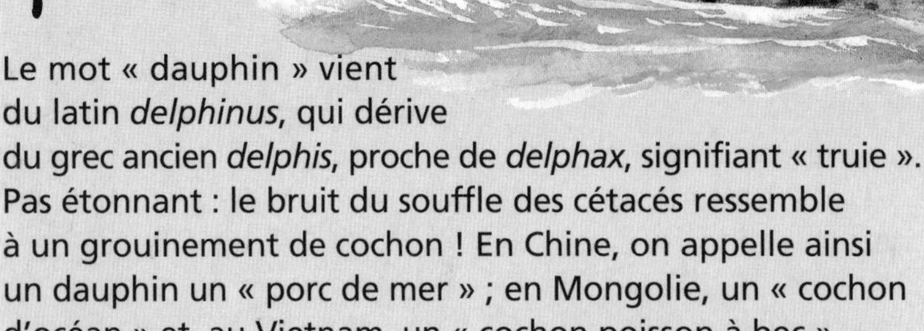

Le mot « dauphin » vient du latin *delphinus*, qui dérive du grec ancien *delphis*, proche de *delphax*, signifiant « truie ». Pas étonnant : le bruit du souffle des cétacés ressemble à un grouinement de cochon ! En Chine, on appelle ainsi un dauphin un « porc de mer » ; en Mongolie, un « cochon d'océan » et, au Vietnam, un « cochon poisson à bec ». Le marsouin, un petit cétacé proche du dauphin, s'appelait « cochon de mer » en latin et « cochon poisson » en vieil anglais.

Le souffle du dauphin ressemble à un grognement de cochon… Est-ce pour cela qu'on l'appelle « cochon poisson » dans plusieurs langues ?

Fleurs, prénoms et villes

Il existe une fleur qui ressemble au rostre du dauphin : on l'a donc appelée *delphinium*. C'est le pied d'alouette. Le prénom Delphine vient également de « dauphin ». Enfin, la cité antique de Delphes, en Grèce, fut nommée ainsi en l'honneur d'Apollon, dieu du soleil. On raconte qu'il aurait pris la forme d'un dauphin pour attirer les marins vers l'île où ils construisirent son sanctuaire.

Le temple de Delphes, érigé en l'honneur du dieu solaire, Apollon, qui se transformait en dauphin.

Pourquoi appelait-on le fils du roi le « dauphin » ?

L'histoire a commencé au XIIe siècle chez les comtes d'Albon, près de la ville de Vienne, en France. Le jeune Guigues IV fut surnommé Dauphin par sa mère, en hommage à un lointain cousin anglais qui se serait appelé Dolfin. Par la suite, tous les comtes d'Albon furent appelés Dauphin. On pensait que ce nom portait bonheur. Ceux qui partaient en croisade peignaient ainsi l'animal sur leur blason. Finalement, même la région, le comté du Viennois, prit le nom de Dauphiné. Deux siècles plus tard, elle fut donnée au roi de France, Philippe IV. Ce roi offrit le comté à son fils aîné, son héritier. Celui-ci, devenu comte du Dauphiné, prit alors le nom de Dauphin. Ensuite, le fils aîné de chaque roi de France fut nommé « dauphin». Aujourd'hui, le mot « dauphin » continue à être utilisé dans le sens d'« héritier ».

Ami des navigateurs, le dauphin ornait les boucliers de certains croisés qui partirent faire la guerre de l'autre côté de la Méditerranée, au Moyen-Orient, entre le XIe et le XIIe siècle.

GRATIN DAUPHINOIS

Il n'y a pas de viande de dauphin dans ce plat de pommes de terre ! Il est typique de la région de Vienne (Isère) qui se nomme « Dauphiné » depuis le XIIe siècle.

Le meilleur ami de l'homme

Le mythe du gentil dauphin existe depuis toujours. Il serait né en Grèce antique, il y a plusieurs milliers d'années.

Le dauphin du ciel

Poséidon, dieu grec gros et barbu, souhaitait se marier avec la jolie Amphitrite, mais elle ne voulait pas de lui. Un dauphin alla parler à la jeune fille, qui changea d'avis et épousa le dieu des océans. Reconnaissant, Poséidon envoya le dauphin dans la voûte céleste, créant la constellation qui porte son nom : la constellation du Dauphin. On l'aperçoit dans l'hémisphère Nord, en été, près de la Voie lactée : ses cinq étoiles forment un losange et une queue.

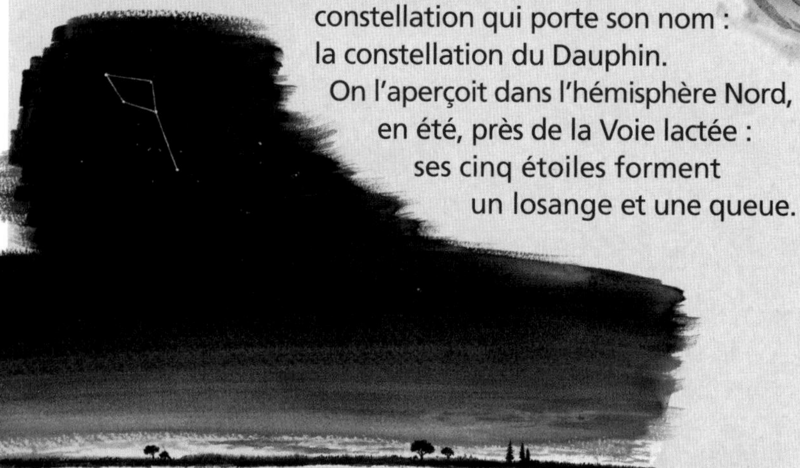

« Le Dauphin rit,
tourne la tête,
Et le magot considéré,
Il s'aperçoit qu'il n'a tiré
Du fond des eaux rien
qu'une bête.
Il l'y replonge,
et va trouver
Quelque homme
afin de le sauver. »
Jean de La Fontaine,
Fables, *Livre 4.*

Fidèle jusqu'à la mort

En l'an 700 avant J.-C., on raconte qu'un poète nommé Arion fut détroussé par l'équipage du bateau qui le ramenait chez lui, à Corinthe. Avant d'être jeté à la mer, il demanda une faveur : jouer une dernière fois de la lyre, son instrument fétiche. Dès qu'il fut à l'eau, un groupe de dauphins attirés par la musique le ramena jusqu'au rivage, sur une île de Grèce nommée Lesbos.
À la même époque, une légende italienne nous parle du petit Hyacinthe et de Simo le dauphin, qui étaient tellement bons amis que, quand l'enfant mourut d'une maladie incurable, Simo s'échoua sur le sable quelques heures après.

Frans Huys, au XVIe siècle, a peint Arion sauvé des eaux par de drôles de dauphins.

Le singe et le dauphin

Il y a très longtemps, en Grèce, on avait coutume d'embarquer des singes et des chiens sur les navires pour se distraire. Une fable nous dit qu'un jour, au large d'Athènes, un bateau fit naufrage. Des dauphins se précipitèrent pour sauver l'équipage. L'un d'eux, par mégarde, emporta un singe, et non un homme, sur son dos. Dès qu'il s'en aperçut, il jeta le singe à l'eau et retourna sauver un marin…

La fable du singe et du dauphin (illustrée ici par Gustave Doré) est racontée par Ésope (VIe siècle av. J.-C.) et reprise par Jean de La Fontaine.

Une amitié dérangeante

La légende de Lucius se passe à Bizerte, dans l'actuelle Tunisie, il y a 2 000 ans. Cet enfant se lia d'amitié avec un dauphin, au point que leur complicité attirait un public nombreux. Même l'empereur vint admirer le spectacle de Lucius batifolant sur le dos du dauphin. La petite ville fut vite envahie de visiteurs, qu'il était impossible de nourrir et de loger… Alors, les chefs de la ville décidèrent de se débarrasser du dauphin. Lucius ne se remit jamais de la disparition de son ami.

Cette statuette en bronze remonte à l'Antiquité.

Le symbole du sauveur

Nos traditions occidentales viennent souvent de la Grèce antique. Or les Grecs considéraient les dauphins comme des sauveurs. Sans doute est-ce pour cela que Jésus, sauveur des hommes selon les chrétiens, a parfois été représenté comme un dauphin. Cet animal orne ainsi de nombreuses pierres tombales.

Un peu partout, on raconte que les hommes peuvent se transformer en dauphins, et les dauphins en hommes.

Métamorphose

Les Aborigènes d'Australie racontent que le dauphin Baringwa fut dévoré par un requin et se réincarna en homme. Ganadja, sa compagne, le chercha dans toute la mer australe pendant de longs mois. Un jour, des coquillages lui racontèrent ce qui était arrivé à Baringwa. Alors, elle s'échoua sur le sable et se transforma en femme. Elle put ainsi rejoindre celui qu'elle aimait.

Réincarnations

En Nouvelle-Zélande, les Maoris pensent que les dauphins qui les sauvent lors de tempêtes sont des réincarnations d'hommes décédés. Ils ont inventé un langage simple pour appeler les dauphins et organiser des parties de pêche avec eux.

Les Maoris, en Nouvelle-Zélande, vénèrent les cétacés, qui sont à l'origine de l'humanité, selon leurs légendes.

La fraternité entre les Aborigènes et les dauphins est millénaire.

Remords

Lorsque le dieu grec Dionysos fut enlevé par des pirates, sa colère fut telle qu'il les jeta immédiatement à la mer, où ils se métamorphosèrent en dauphins. Depuis, les pirates, repentis, sauvent des hommes pour que le dieu leur pardonne.

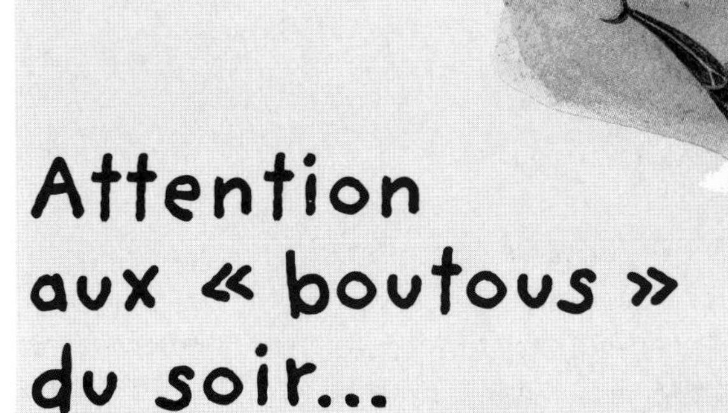

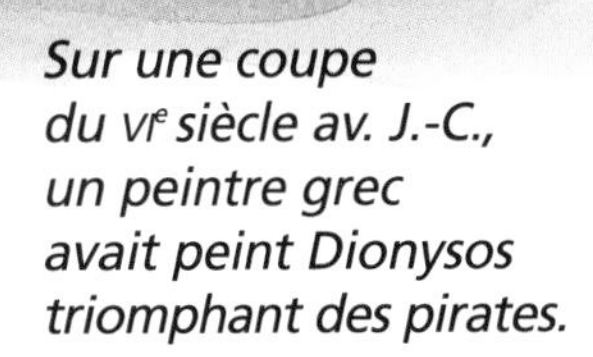

Sur une coupe du VIe siècle av. J.-C., un peintre grec avait peint Dionysos triomphant des pirates.

Attention aux « boutous » du soir...

On raconte au Brésil que les « boutous », dauphins roses du fleuve Amazone, sont des hommes réincarnés en dauphins. Chaque nuit, ils reprennent leur forme d'origine et vont séduire les jeunes filles indiennes, pour les enlever et les emmener ensuite vers le fleuve. C'est pour cela qu'elles ne doivent pas sortir seules le soir...

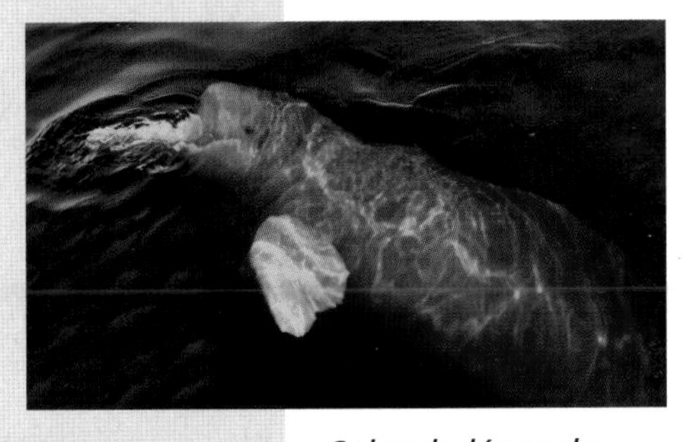

Selon la légende, dès qu'ils sont découverts, les boutous quittent leur costume humain et replongent dans les eaux troubles de l'Amazone.

Le mythe du gentil dauphin sert aussi à parler de l'origine du monde et de l'avenir de l'homme.

Extraterrestres

Les Dogons du Mali (Afrique de l'Ouest) ont toujours pensé que, il y a 500 millions d'années, des géants venus de la planète Sirius débarquèrent sur Terre. Ils y creusèrent un énorme trou et le remplirent d'eau. Ils installèrent là des êtres qui ressemblaient à des dauphins et des baleines, qu'ils avaient emmenés avec eux. Ces animaux étaient en fait des sages, qui avaient pour mission de veiller sur les hommes, et même de leur offrir leur corps s'ils en avaient besoin pour manger.

Les danses des Dogons racontent la formation du monde et l'organisation du système solaire, qui pourraient avoir un lien avec des cétacés venus des étoiles.

Dans le roman d'anticipation Mermère *et sa suite* Sables, *les hommes et les cétacés vivent ensemble et ont appris un langage commun.*

Quand les dauphins et les hommes vivront ensemble

Dans un roman d'Hugo Verlomme appelé *Mermère*, la planète Terre est devenue presque invivable : elle est trop polluée et les hommes n'y vivent que dans d'immenses mégalopoles. Alors, un groupe d'hommes s'installe dans les océans. Ils créent des communautés de « Noés », vivent dans des maisons amphibies, en harmonie avec les cétacés, et ont appris à parler avec eux. Ils ont trouvé le moyen de nager sous l'eau très longtemps grâce à une petite opération chirurgicale de la gorge. Horn Noé, un jeune prince intrépide, aidé de Chac, le cachalot sondeur des abysses, et de Loul, la sage delphine, combat les redoutables orques gladiateurs, dressées pour tuer par les Terriens. Il tente de sauver ses amis recherchés sur Terre parce qu'ils ont décidé de partir vivre avec les Noés.

Parmi les héros de Mermère, *Chac, le cachalot, réussit à retrouver une épave coincée à plus de 1000 mètres de fond. Le cachalot est le seul cétacé à pouvoir plonger aussi profondément.*

Sites Internet et associations

www.dauphinlibre.be
Un site militant pour la protection des cétacés dans le monde.

www.gecem.org
Le site du Groupe d'étude des cétacés en Méditerranée.

www.reseaucetaces.org
Association française pour la protection des petits cétacés.

Livres

Henry Augier, *Les dauphins, ambassadeurs des mers,* Delachaux et Niestlé, 2000.
Brigitte Heller-Arfouillère, *10 légendes de dauphins,* Castor Poche Flammarion, 2002.
Christel Leca, *Anthologie des dauphins et des baleines,* Delachaux et Niestlé, 2006.
Pascale Noa Bercovitch, *Oline, le dauphin du miracle,* Robert Laffont, 1999.
Yves Paccalet, *La vie secrète des dauphins,* L'Archipel, 2002.
Hugo Verlomme, *Mermère,* Jean-Claude Lattès, réédité en 2003.

Revues

National Geographic, mensuel
tél. : 08 25 086 090

Remerciements

Pour leurs réponses à mes questions, et leur relecture attentive : Léa David et Valérie Burgener, biologistes, Frank Dhermain et Franck Dupraz, vétérinaires au sein du Groupe d'étude des cétacés en Méditerranée, et Yves Paccalet, auteur. Pour leurs conseils et leur soutien : Jean-Jacques, Jean, Christiane et Jacques.

Dépôt légal : février 2008
ISBN : 978-2-603-01502-5
Préparation : Mariane Becker
Correction : Michèle Alfonsi
Conception graphique : Philippe Abellard (Etik-Presse)
Maquette : Caroline Renouf

Achevé d'imprimer en janvier 2008 sur les presses de IME à Baume-les-Dames, France.

Crédits photographiques

h : haut ; b : bas ;
g : gauche ; d : droite

Bios :
F. Bavendam : 42 (b) ;
A. et J. Cassaigne : 52 ;
B. Cropp/Auscape : couv (1e d), 32 ; **B. Cole :** couv (1e g), 6-7, 37, 39 ;
M. et C. Denis-Huot : 42 (h) ; **R. Dirscherl :** 38 ;
M. Edwards/Still Pictures : 40 ; **V. Fournier/Parc Astérix :** 12-13, 16 ;
F. Gohier : 2, 9 (bd) ;
A. Greth : 46-47 ; **J.-L. Klein et M.-L. Hubert :** 29 ; **J. Rotman :** 33 ;
C. Sourd : 52 ; **Steven David Miller/Auscape :** 44 ; **R. Valarcher :** 53 ;
C. Weiss : 48 (h) ;

Corbis :
D. A. Northcott : 24 ;

Florent Nicolas/Océan-Océan : 19, 26 ;

J.-J. Raynal :
rabat 2 (haut) ;

Naturimages :
C. Ruff : 28 ;

Sunset : Diagentur : 43 ;
Holt Studios : 56 (g) ;
Juniors Bildarchiv : 3, 4, 8-9 (h), 14, 48 (b) ; **G. Lacz :** couv (2e d), 10-11 ; **NHPA :** 18-19, 61 ; **Rex Features :** 9 (bg), 31, 35, 60 (h et b), 62 (g et d) ; **Rex Interstock :** couv (2e g) ; **World Pictures :** 56 (d) ;

Visipix :
50 (h), 58 (b), 59 (hd).